献 给
特里梅因和皮尔斯

图书在版编目（CIP）数据

生气的亚瑟／（英）奥拉姆著；（日）北村悟绘；柯倩华译．
—石家庄：河北教育出版社，2009.6
（启发精选世界优秀畅销绘本）
书名原文：Angry Arthur
ISBN 978-7-5434-7318-8

Ⅰ.生… Ⅱ.①奥…②北…③柯… Ⅲ.图画故事－英国－现代 Ⅳ.I561.85

中国版本图书馆CIP数据核字（2009）第061884号

冀图登字：03-2009-003

ANGRY ARTHUR
Text © 1982 by Hiawyn Oram
Illustrations © 1982 by Satoshi Kitamura
Simplified Chinese translation copyright © 2009 by Hebei Education Press
Published by arrangement with Andersen Press Ltd.,
through Bardon-Chinese Media Agency.
All rights reserved.
本简体字版 © 2009由台湾麦克股份有限公司授权出版发行

生气的亚瑟

编辑顾问：余治莹

译文顾问：王 林

责任编辑：颜 达 马海霞

策划：北京启发文化传播有限责任公司
　　　台湾麦克股份有限公司

出版：河北教育出版社 www.hbep.com
　　　（石家庄市联盟路705号 050061）

印刷：北京盛通印刷股份有限公司

发行：北京启发文化传播有限责任公司
　　　www.7jia8.com 010-51690768

开本：787×1092mm 1/12

印张：3

版次：2009年6月第1版

印次：2009年6月第1次印刷

书号：ISBN 978-7-5434-7318-8

定价：26.80元

如有印装质量问题请与印刷厂联系(010-67887676)

生气的亚瑟

文:〔英〕希亚文·奥拉姆　图:〔日〕北村悟　翻译:柯倩华

河北教育出版社

从前，有一个男孩儿，他的名字叫亚瑟。
有一天晚上，他想看美国西部牛仔片，
不肯睡觉。

"不行，"妈妈说，
"太晚了，去睡觉。"
亚瑟说："我要生气啦！"
"你就生气吧。"
妈妈说。

亚瑟开始生气，非常非常地生气。
他气得好厉害，他的气化作一片乌云，爆发成
闪电、雷和冰雹。

妈妈说："够了够了。"
可是，还不够。

亚瑟的气形成强劲的旋风，掀走了屋顶，
掀走了烟囱和教堂的尖塔。

爸爸说："够了够了。"
可是，还不够。

亚瑟的气转为台风，
把整个城市扫进
大海里。

爷爷说："够了够了。"
可是，还不够。

亚瑟的气引起地球一阵颤动，地球的表面
裂了，像被巨人敲破的蛋壳。
奶奶说："够了够了。"
可是，还不够。

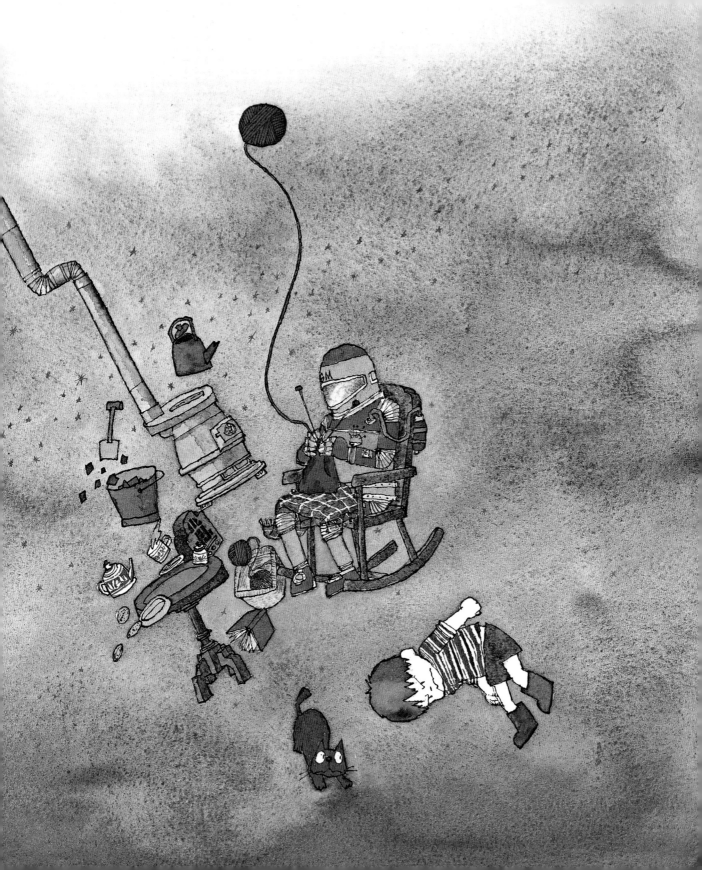

亚瑟的气变成一场宇宙大爆炸。

地球和月球，

大大小小的恒星和行星，

亚瑟的国家、城市和街道，
他的家、庭院和卧室，

都只剩下
小小的碎片，
在太空中飘浮。

亚瑟坐在火星的碎片上想，
他想了又想。

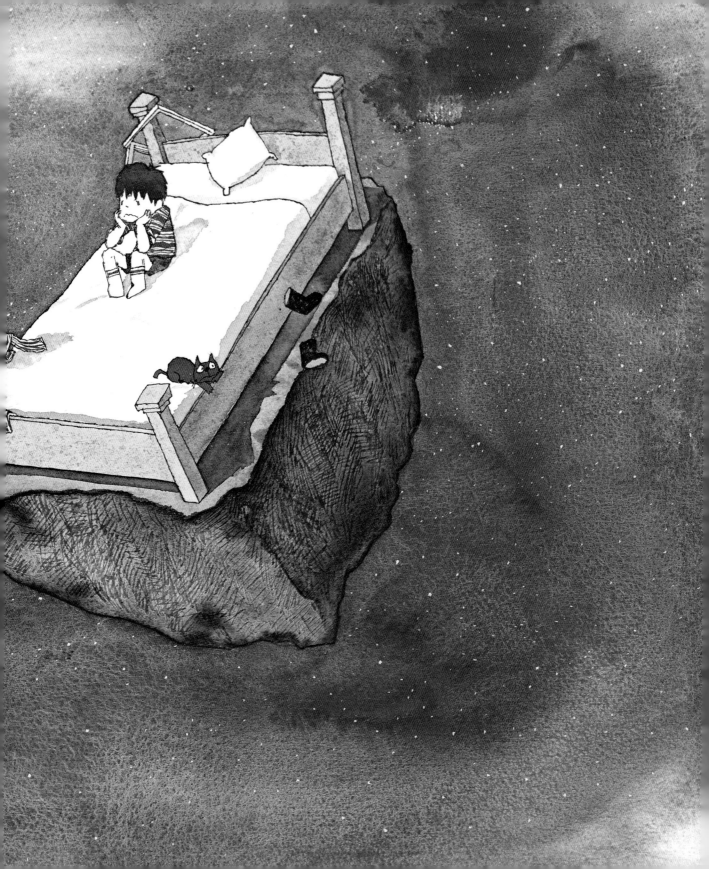

他问自己："我为什么这么生气？"
他想不起来了。
你呢？

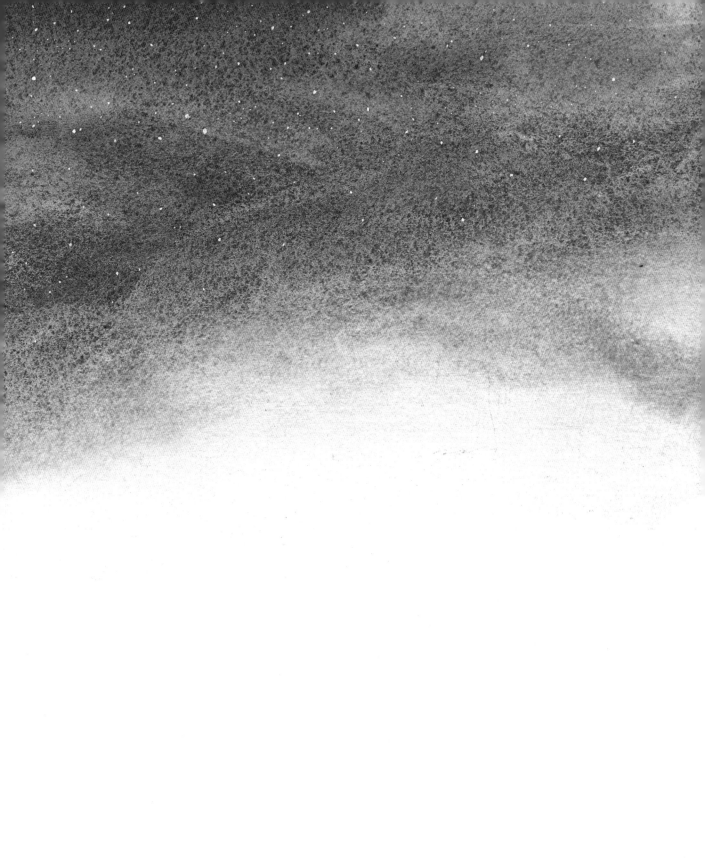